Carl Milles
Millesgården

Carl Milles
Millesgården

▷

Arkitekt Carl M. Bengtssons akvarell av Millesgården, 1908. Under det följande halva seklet förvandlades klipporna till de magnifika terrasserna och den fina skulpturparken.

Architect Carl M. Bengtsson's watercolour of Millesgården, 1908. The stone cliff was transformed by terracing during the following half-century, creating the luxuriant sculpture garden of today.

Aquarell von Millesgården des Architekten Carl M. Bengtsson, 1908. Die Klippen wurden in den darauffolgenden fünfzig Jahren durch Terrassierung umgeformt und bilden den großartigen Skulpturgarten von heute.

Aquarelle de Millesgården par l'architecte Carl M. Bengtsson, 1908. Dans les cinquante années qui ont suivi, la falaise a été aménagée de façon à créer le splendide jardin de sculptures que l'on connaît aujourd'hui.

Acuarela de Millesgården del arquitecto Carl M. Bengtsson, 1908. La escollera fue transformada en terraza en el transcurso de los cincuenta años sucesivos creando el espléndido jardín de esculturas que vemos hoy.

Акварельный вид Миллес-гордена кисти архитектора Карла М. Бенгтссона (1908). В последующие полвека каменный утес превратился в террасу нынешнего изумительного сада скульптуры.

Carl Milles
Millesgården

Första upplagan 2000

Produktion Medvind AB
Projektledare David Tomsic
Grafisk form & produktion Harald Lindström · Caramba
Fotografier från Millesgårdens arkiv. Copyright © Millesgården
Fotografer Olof Wallgren, Fabio Galli, Lars Hallén, Curt Israelsson, Eddie Granlund, Per-Magnus Persson och Kurt Widell
Tryckt av Kina Italia S.p.A, Milano, Italy

ISBN 91-87340-71-2

München in Juni 1908
Mail Bengtsson

Carl Milles

BLAND SVENSKA 1900-TALSSKULPTÖRER räknas Carl Milles till de allra främsta och han fick många betydande offentliga uppdrag. *Europa och Tjuren* i Halmstad, *Poseidon* i Göteborg, *Orfeus-fontänen* utanför Stockholms Konserthus och *Folkungabrunnen* i Linköping är bara några exempel. Milles har också vunnit internationell ryktbarhet och utfört monument och fontäner i USA, där han var verksam i tjugo år, från 1931 till 1951.

Milles produktivitet är onekligen häpnadsväckande, men trots det hemföll han sällan åt slentrian. Han hade en intensiv konstnärsådra, som gjorde att han aldrig stagnerade utan ständigt sökte förnyelse i sitt konstnärsskap. Varje ny uppgift var en utmaning och många strider skulle utkämpas, både i inre och yttre bemärkelse, innan han nått sitt mål. Ett exempel på detta är *Solsångaren*, på vilken han arbetade i sju år med ständiga omarbetningar, innan han var nöjd med resultatet.

Carl Milles föddes midsommarafton 1875 på Örby Gård i Lagga socken i Uppland. Fadern var officer till yrket och hette Emil Andersson. Emil kallades för »Mille« och följden blev att hans barn sedan tog namnet Milles. Som barn var han en drömmare som helst ville slippa skolan. Hans intressen låg på det konstnärliga planet och han älskade att ströva i naturen, läsa poesi och upptäcka allt vackert som fanns inom konsten och litteraturen. Efter avslutad skolgång vid 16 års ålder sattes Carl i snickarlära, där han fick utveckla sina anlag för träsnideri. Efter en tids studier på Tekniska skolan i Stockholm på 1890-talet fick han ett stipendium av Svenska Slöjdföreningen och begav sig 1897 till Paris, där han stannade i närmare sju år för studier och arbete.

I Paris kom Milles i kontakt med den store franske skulptören Auguste Rodin, vars arbeten han tog starka intryck av. Han träffade också sin blivande hustru, den österrikiska porträttmålarinnan Olga Granner. De förlovade sig år 1900 i all hemlighet och gifte sig fem år senare i Olgas hemstad Graz. Efter ett studieår i München 1906 återvände Carl till Sverige med Olga och de bosatte sig på Lidingö, där han 1908 lät uppföra en bostad med ateljé. Milles hade omkring 1905 fått sitt genombrott som skulp-

▷

Carl Milles i arbete på »Örnarna«
till Prins Eugens Waldemars-
udde, 1909.

*Carl Milles at work on
"The Eagles" for Prince Eugen's
Waldemarsudde, 1909.*

*Carl Milles bei der Arbeit an den
„Adlern" für Prinz Eugen von
Waldemarsudde, 1909.*

*Carl Milles en train de travailler
aux «Aigles» pour le Prince
Eugen de Waldemarsudde, 1909.*

*Carl Milles mientras trabaja en
las "Águilas" para el Príncipe
Eugen de Waldemarsudde, 1909.*

*Карл Миллес за работой
над композицией «Орлы»
для принца Евгения
Вальдемарсудде (1909).*

tör i Sverige tack vare Sten Sturemonumentet som han fick i uppdrag att utföra av Uppsala studentkår. Åren som följde var fyllda med arbete och resor. Under resorna i Europa på 1920-talet inköpte makarna Milles många vackra konstföremål, som blev till en vacker konstsamling, som numera visas på Millesgården. 1920-talet var det decennium under vilket Milles utförde de flesta betydande uppdragen i Sverige, samtidigt som han var professor på Konsthögskolan i Stockholm. Det internationella genombrottet inleddes med en utställning 1927 på Tate Gallery i London samt i flera tyska städer året därpå.

År 1931 bosatte sig Carl och Olga Milles i USA, där Milles under tjugo år kom att vara verksam som professor vid Cranbrook Academy of Art i Bloomfield Hills utanför Detroit, Michigan . Under denna tid utförde han även några av sina mer viktiga verk, bl.a. fontänerna *Flodernas Möte* i Saint Louis och *Uppståndelsefontänen* utanför Washington D .C. I sina fontäner ville Milles nå barnet inom oss och ofta lät han lekfullheten och humorn uppväga allvaret för att lätta upp sinnet på dem som kom för att betrakta hans arbeten. Livsfrågorna var av avgörande betydelse för Milles under hela hans liv. Han har själv i sina många brev uttryckt sin ödmjukhet inför livet och universum. I ett tal till sina elever i Cranbrook sade han en gång: "Varför finns vi till? Vad är begåvning? Talang? Vem har givit genialitet även till de mest primitiva? Var blir vi av när vi dör? Varifrån kommer vi? Jag frågade någon som jag tyckte borde kunna svaret, men han fann inga ord som kunde giva uttryck för hans Tro. Som gammal man vet jag nu att ingen kan svara, och att ingen kommer att kunna svara. Vi har ingen möjlighet att göra det. Vi är inte utrustade så. Som konstnär frågar jag mig ofta: varför denna längtan efter konst, efter skulptur, måleri, musik, arkitektur, litteratur? Varför dras vi till skönheten i alla dess uppenbarelser? Filosoferna försöker förklara, men vid en viss punkt stänger sig deras möjligheter, liksom trädet aldrig kan växa mer än till en viss storlek. Sak samma med allt, med djur, insekter, blommor och oss själva.

Många av dessa livsfrågor kommer till uttryck i ett av Milles mest kända arbeten, nämligen *Guds Hand*, som utfördes efter återkomsten till Europa på 1950-talet. Under de sista åren av sitt liv fram till 1955, då han avled, levde Carl och Olga Milles i Rom, där Milles fick arbeta i en atelje hos Amerikanska Akademien. Det var där *Guds Hand* tog form liksom även *Sankt Martin* och *Aganippefontänen*. Under somrarna bodde paret Milles på Millesgården i en nybyggd liten villa på nedre terrassen. Redan 1936 hade Milles gjort Millesgården till en stiftelse som skänktes till svenska folket. När han var hemma på besök kunde det hända att han själv tog emot besökarna och guidade dem runt på terrasserna. De sista åren han levde ägnade han åt att forsköna och planera utbyggnaderna av Millesgården. Som åttioårspresent fick han 1955 motta en replik av *Poseidon* från svenska staten. Samma år avled han i september i sin bostad på Millesgården.

AMONG 20TH CENTURY sculptors Carl Milles takes a prominent place, with many important public works to his credit. In Sweden Milles' *Europa Fountain* in Halmstad, *Poseidon Fountain* in Gothenburg and *Orpheus Fountain* outside Stockholm's Concert Hall are notable examples. Carl Milles also enjoyed international recognition and executed a large number of monuments and fountains in the USA, where he was active during two decades (1931–51).

Milles creative fertility was undeniably boundless, very seldom succumbing to routine. He managed to avoid stagnation by continually seeking new artistic challenges. Each new commission required new struggles to be fought, both in personal and aesthetic terms, before achieving his chosen goal. For example, his sculpture *The Sun Singer* required seven years and numerous reworkings, before he was ultimately fully satisfied.

Carl Milles was born on midsummer eve 1875 at Örby Estate in Lagga parish in

Uppland, Sweden. His father, Emil Andersson, was a Swedish military officer. Emil's nickname among family and friends was "Mille" – which was the origin of his children ultimately changing the family name to Milles. As a child Carl tended to flee into daydreams, and shunned formal school studies. His real interests were artistic and he loved to wander in nature, read poetry and discover beauty in art and literature. After completing his schooling at 16 years of age, Carl was apprenticed to a carpentry workshop. Following a period of studies at the Technical School in Stockholm during the 1890's, he was awarded a travel scholarship by the Swedish Handicrafts Society. With this he travelled in 1897 to Paris, where he studied and worked for nearly seven years.

In Paris Milles came in contact with the great French sculptor Auguste Rodin, whose work made a deep impression upon him. He also met his future wife, the Austrian portrait-painter Olga Granner. Following their engagement 1900, which was kept secret, the couple married five years later in Graz, Austria. After a few years of further studies in Munich, Carl returned to Sweden with Olga in 1906. The couple resided on the island of Lidingö, where they built a home with studios for their work. Milles artistic breakthrough in his homeland occurred 1905, when he was commissioned by Uppsala University to create a monument to an early Swedish king, Sten Sture. The following years were filled with work and travel. During their travels throughout Europe in the 1920's Carl and Olga acquired many outstanding works of art. These works make up the uniquely beautiful collection, which is now exhibited at Millesgården. The 1920's was the decade in which Milles executed some of the most important art works in Sweden, while simultaneously holding the post of professor at the Royal Art Academy in Stockholm. His international breakthrough, presaged by Milles being awarded the Grand Prix in the World Exhibition in Paris 1925, was his one-man exhibition at the Tate Gallery in London 1927. These initial successes were followed in the decade's final years with extensive exhibitions in major German and American cities.

In 1931 Carl and Olga Milles moved to the USA, where Carl spent the following twenty years as professor at the Cranbrook Academy of Art in Bloomingfield Hills nearby Detroit, Michigan. During these years he executed some of his most important works – among others the fountains *Wedding of the Rivers* in St. Louis, Missouri and *Fountain of Faith* outside Washington, D.C. Milles wished to reach the child within each of us with his fountains and gave free reign to his playfullness. By letting humour balance serious intent, he also increased the public's receptivity to his work.

That Carl Milles work enjoys the on-going interest of the present-day art public, both internationally and in Sweden, is shown by the enthusiastic reception Milles exhibitions have received in Japan, Australia, Italy and Mexico recently. While in his homeland, the largest of all of Milles' sculpture fountains, *God Father on the Rainbow*, was recently erected. This peace monument was originally conceived in 1946 to stand beside the United Nations headquarters in New York City, but was never realized there. After a half-century it finally reached fruition when this 24 meter-tall fountain was erected in the entrance to Stockholm's harbour and unveiled in September 1995 by Sweden's King Carl XVI Gustav.

During his last years, until his death 1955, Carl and Olga Milles spent the winters in Rome, where Milles could work in the studio at the American Academy, while summers were spent on Lidingö in a newly-built villa on Millesgården's Lower Terrace. In 1936 Milles endowed Millesgården as a foundation, which he donated to the Swedish people. During those times he was at home, Milles upon occasion personally guided museum visitors among his works on the terraces. His last years were also devoted to beautifying and expanding Millesgården. On his 80th birthday 1955 the Swedish government presented him with a colossal bronze replica of his *Poseidon* (1930) to take its place amidst the other works at Millesgården. Not long after the prime minister's presentation ceremony, Carl Milles died in his home at Millesgården in September 1955.

◁

Carl Milles utnyttjade till fullo ateljéhöjden när han skapade den kolossala »Poseidon« på Millesgården 1930.

Carl Milles exploited fully the height of his studio, when he created his colossal "Poseidon" at Millesgården 1930.

Carl Milles nutzte die Höhe seines Ateliers vollkommen aus, als er 1930 den kolossalen „Poseidon" in Millesgården schuf.

Carl Milles exploita pleinement la hauteur de son studio pour créer le colossal «Poséidon» à Millesgården en 1930.

Carl Milles aprovechó al máximo la altura de su estudio cuando creó el colosal "Poseidón" en Millesgården en el año 1930.

Карл Миллес до конца использовал высоту своего ателье во время создания в Миллесгордене своего колоссального «Посейдона» (1930).

Carl Milles i ateljén under arbetet
med »Eremiten« till »Uppstån-
delsefontänen« i Virginia, USA.

Carl Milles and "The Hermit"
figure from his "Fountain of
Faith" in Virginia, USA.

Carl Milles und die Figur des
„Eremiten" aus dem Werk
„Brunnen des Glaubens" in
Virginia, Vereinigte Staaten.

Carl Milles et «L'Ermite» de la
«Fontaine de la Foi» en Virginie,
Etats-Unis.

Carl Milles y la figura de
"El Hermitaño" de la obra
"Fuente de la Fe" en Virginia,
Estados Unidos.

Карл Миллес и фигура
Отшельника из Фонтана
Веры в Вирджинии, США.

UNTER DEN BILDHAUERN des XX. Jahrhunderts nimmt Carl Milles einen her-
vorragenden Platz ein. Er hat viele bedeutsame Werke geschaffen, wie den Brunnen
Europa in Halmstad, *Poseidon* in Gothenburg und *Orpheus* vor dem Eingang des
Konzertgebäudes in Stockholm. Carl Milles erhielt auch auf internationaler Ebene
große Anerkennung. In den Vereinigten Staaten, wo er sich zwanzig Jahre lang
(1931–1951) aufhielt, hinterließ er zahlreiche Denkmäler und Brunnen.

Milles mit seiner leidenschaftlichen Schöpfungskraft, ist selten der Routine unter-
legen. Es ist ihm immer gelungen, den stagnierenden Momenten auszuweichen,
wobei er ständig neue künstlerische Herausforderungen suchte. Jedem neuen
Vorschlag hat er sich mit neuen Bemühungen sowohl auf persönlicher als auch auf
ästhetischer Ebene gestellt, bevor er das Ziel, das er sich gesetzt hatte, erreichte. Die
Skulptur *The Sun Singer*, zum Beispiel, erforderte sieben lange Jahre und zahlreiche
Neufassungen, bevor sie zu seiner vollen Befriedigung fertiggestellt werden konnte.

Carl Milles wird am 23. Juni 1875 in Örby bei Uppsala geboren. Der Vater, Emil
Andersson, war Offizier im schwedischen Heer. Die Familienangehörigen und die
Freunde pflegten Emil mit dem Beinamen „Mille" zu nennen. Hierher die Wahl des
Sohnes, seinen Nachnamen in Milles umzuändern. Als Kind zieht es Carl vor, sich in
seine phantastische Welt zurückzuziehen, weswegen er den konventionellen Studien-
fächern wenig Zuneigung entgegenbringt. Sein wahres Interesse liegt im Künst-
lerischen; er liebt die Natur, die Dichtung, die Kunst und Literatur. Nachdem er mit
16 Jahren seine Ausbildung beendet hat, geht er als Lehrling in einer Tischlerei arbei-
ten. Von 1892 bis 1897 besucht er die Technische Schule in Stockholm und bekommt
am Ende ein Stipendium der Swedish Handicrafts Society zuerkannt, das ihm 1897
die Möglichkeit gibt, nach Paris zu gehen, wo er fast sieben Jahre lang bleibt, sich
weiter ausbildet und arbeitet.

In Paris lernt Milles den großen französischen Bildhauer Auguste Rodin, dessen
Werk einen tiefen Eindruck in ihm hinterläßt kennen. Hier macht er auch die
Bekanntschaft seiner zukünftigen Frau, die österreichische Porträtmalerei Olga
Granner. Nach der heimlichen Verlobung im Jahre 1900, heiratet das Paar fünf Jahre
später in Graz, Österreich. Nachdem er seine Studien in München weiter verfolgt hat,
kehrt Carl 1906 mit Olga nach Schweden zurück und läßt sich auf der Insel Lidingö
nieder, wo sie ein Haus bauen, in welchem sie leben und arbeiten werden. Die erste
Gelegenheit für Milles, sich in seiner Heimat einen Namen zu machen, ergibt sich
1905, als die Universität in Uppsala ihm das Werk Sten Sture, ein Denkmal zu Ehren
des schwedischen Königs, in Auftrag gibt. Es folgen Jahre intensiver Arbeit und
Reisen. Von großer Bedeutung sind die Kunstwerke, die Olga und Carl in den 20iger
Jahren auf ihren Reisen sammeln und die heute in der großartigen, exklusiven
Kollektion in Millesgården vereint sind. Dies sind auch die Jahre, in denen Milles
einige seiner bedeutendsten Kunstwerke in Schweden schuf, während er gleichzeitig
das Amt eines Professors der Royal Academy von Stockholm innehatte. Der interna-
tionale Ruf Milles beginnt 1925, als er den ersten Preis bei der Internationalen
Ausstellung von Paris erhält, der 1927 eine Einzelausstellung in der Tate Gallery von
London folgt. Nach diesen ersten Erfolgen erzielt er weitere mit zahlreichen Aus-
stellungen in den wichtigsten Städten Deutschlands und der Vereinigten Staaten.

1931 übersiedeln Carl und Olga in die Vereinigten Staaten, wo Carl zwanzig Jahre
lang als Professor in der Cranbrook Academy of Art von Bloomingfield Hills bei
Detroit arbeitet. In diesen Jahren schafft er einige seiner Hauptwerke, worunter sich
die Brunnen *Wedding of the Rivers* in St. Louis und *der Glaubensbrunnen* in
Washington D.C. befinden.

Milles hat immer versucht, in seinen Werken das Kind, das in uns steckt, aufleben
zu lassen, wobei er seiner Heiterkeit freien Lauf ließ. Immer bemüht, ein Gleich-
gewicht zwischen Humor und Ernst zu finden, hat er dazu beigetragen, die
Empfänglichkeit des Publikums für seine Werke noch zu erhöhen.

Daß die Arbeiten von Carl Milles von seiten des Publikums ein immer größeres Interesse sowohl in Schweden als auch im Ausland hervorrufen, wird von der Begeisterung bewiesen, mit welcher die jüngsten Ausstellungen von Milles in Rußland, der Schweiz, Italien und Mexiko begrüßt wurden. In seinem Heimatland ist hingegen die größte seiner Skulpturen, *der Regenbogenbrunnen*, aufgebaut worden. Dieses Friedensdenkmal hätte ursprünglich 1946 neben dem Sitz der Vereinten Nationen in New York aufgestellt werden sollen, ein Projekt, das jedoch niemals verwirklicht wurde. Endlich, nach einem halben Jahrhundert, hat der König von Schweden Karl Gustav XVI. im September 1995 diesen 24 Meter hohen Brunnen eingeweiht. Er steht heute vor dem Hafen von Stockholm.

Die letzten Jahre seines Lebens, bis zu seinem Tod im Jahre 1955, verbringt Carl Milles mit seiner Frau Olga im Winter in Rom, wo er im Studio der American Academy arbeitet. Im Sommer hingegen kehrt es wieder nach Lidingö zurück, in das neue Haus, das auf der unteren Terrasse von Millesgården gebaut worden war. Dank einer freigiebigen Schenkung von Milles entsteht eine Stiftung, die Millesgården in ein Museum umwandelt. Milles selbst begleitet die Besucher während seiner Aufenthalte in Millesgården und führt ihnen seine eigenen Werke vor. Die Ausschmückung und Erweiterung von Millesgården wird bis zu seinem Tod fortgesetzt. Am Tag seines achtzigsten Geburtstags erhält er von der schwedischen Regierung eine kolossale Replik aus Bronze seines *Poseidons* (1930), die zu den bestehenden Werken in Millesgården kommt. Im September 1955 stirbt Carl Milles in Millesgården.

CARL MILLES OCCUPE une place prééminente parmi les sculpteurs du XXe siècle. Nombreuses sont les oeuvres importantes à son actif, par exemple la fontaine *Europa* à Halmstad, *le Poséidon* à Gothenburg et *l'Orphée* devant l'entrée du Palais des Concerts de Stockholm. Carl Milles a été reconnu également sur le plan international, notamment aux États-Unis, où il séjourna pendant vingt ans (1931-1951) et où il a laissé de nombreux monuments et fontaines.

Artiste animé par une créativité effervescente, Milles ne s'est que très rarement livré à la routine. Il a toujours réussi à éluder les moments de stagnation, s'efforçant de trouver constamment de nouveaux défis artistiques. Lorsqu'il devait faire face à de nouvelles propositions, il répliquait invariablement par de nouveaux efforts en termes personnels et esthétiques afin d'atteindre l'objectif voulu. Sa sculpture *The Sun Singer*, par exemple, lui a valu sept ans de travail et de nombreux remaniements avant de l'achever, finalement content du résultat.

Carl Milles naît le 23 juin 1875 à Örby, près de Uppsala. Son père, Emil Andersson était un officier de l'armée suédoise. Emil avait été surnommé «Mille» par sa famille et ses amis et c'est pourquoi son fils décida d'adopter le nom de Milles. Pendant son enfance, Carl aimait se réfugier dans son monde imaginaire, ce qui explique son manque d'affinité pour les études traditionnelles. Son tempérament réel est artistique: il aime la nature, la poésie, l'art et la littérature. Après avoir terminé ses études, à 16 ans, Carl va travailler en qualité d'apprenti dans un atelier de menuiserie. De 1892 à 1897, il fréquente l'École Technique de Stockholm et, à la fin de cette période, il obtient une bourse d'études de la Swedish Handicrafts Society qui, en 1897, lui permet de se rendre à Paris où il étudiera et travaillera pendant presque sept ans.

À Paris, Milles rencontre le grand sculpteur français Auguste Rodin et il est profondément impressionné par ses oeuvres. C'est également là qu'il fait la connaissance de sa future épouse, la portraitiste autrichienne Olga Granner. En 1900, ils se fiancent en secret et, cinq ans plus tard, leurs noces sont célébrées à Graz en Autriche. Après d'autres études à Monaco, en 1906, Carl retourne en Suède avec Olga, ils s'installent dans l'île de Lidingö où ils font construire la maison dans laquelle ils vivront et travailleront. La première occasion de se faire connaître dans sa patrie se présente à Milles en 1905 lorsque l'Université de Uppsala lui commande le *Sten Sture*, monument à la mémoire du roi de Suède.

Ce sont ensuite des années de travail intense et de voyages. Pendant les années 20, à l'occasion de leurs voyages en Europe, Carl et Olga recueillent de très intéressantes oeuvres d'art qui font maintenant partie d'une splendide collection exclusive conservée à Millesgården. Toujours pendant les années vingt, Milles crée quelques unes des oeuvres d'art les plus importantes de Suède, tout en occupant la charge de professeur à la Royal Art Academy de Stockholm. La renommée internationale de Milles s'affirme en 1925, année au cours de laquelle il remporte le premier prix à l'Exposition Internationale de Paris alors qu'en 1927, il présente une exposition personnelle à la Tate Gallery de Londres. Ce n'est que le début d'une longue série de succès; en effet Milles présentera ensuite de nombreuses expositions dans les villes les plus importantes d'Allemagne et des États-Unis.

En 1931, Carl et Olga s'établissent aux États-Unis où Carl travaille pendant vingt ans, après avoir été nommé professeur à la Cranbrook Academy of Art de Bloomfield Hills, près de Detroit. Pendant cette période, il crée une partie de ses oeuvres les plus importantes, parmi lesquelles les fontaines *Wedding of the Rivers* à Saint Louis et *la Fontaine de la Foi* à Washington D.C.

Milles a toujours cherché à faire revivre dans ses oeuvres l'enfant qui est en nous, donnant libre cours à son enjouement. Toujours à la recherche du parfait équilibre entre l'humour et la pondération, il a contribué à accroître la sensibilité du public à l'égard de ses oeuvres.

L'intérêt du public à l'égard de Carl Milles ne cesse de croître en Suède et à l'étran-

◁

Hemkommen till Millesgården i början av 1950-talet. Här granskar konstnären sitt »Vildsvin« från 1929. I bakgrunden »Tritonbrunnen« och Lilla ateljén.

Home again at Millesgården in the early 1950's, the artist examines his "Wild Boar" from 1929. In the background is seen the "Triton Fountain" and the Little Studio.

Anfang der 50er Jahre wieder zurück in Millesgården, beschäftigt sich der Künstler mit seinem „Wildschwein" aus dem Jahre 1929. Im Hintergrund kann man den „Tritonbrunnen" und das Kleine Atelier bewundern,

De retour à Millesgården au début des années 50, l'artiste étudia son «Sanglier» de 1929. En toile de fond, on peut admirer la «Fontaine de Triton» et le Petit Atelier.

De nuevo en Millesgården al inicio de los años '50. El artista estudia su "Jabalí" del 1929. Al fondo se puede contemplar la "Fuente del Tritón" y el Pequeño Estudio.

Снова у себя в Миллесгордене: маэстро изучает своего «Вепря», изваянного в 1929 году. На заднем плане – Фонтан Тритон и Малое ателье.

ger, preuve en est le grand enthousiasme récemment rencontré par les expositions de ses oeuvres en Russie, en Suisse, en Italie et au Mexique. Sa sculpture la plus colossale, la fontaine Arc en ciel, fut construite dans sa terre natale. À l'origine, il avait été décidé d'ériger ce monument, véritable «hymne à la paix», près du Palais des Nations Unies à New York en 1946. Ce projet ne fut cependant jamais réalisé. Ce n'est qu'un demi siècle plus tard que le roi de Suède, Charles XVI Gustave inaugura finalement, en septembre 1955, cette fontaine de 24 mètres de haut qui domine aujourd'hui le port de Stockholm.

Pendant les dernières années de son existence, jusqu'à son décès survenu en 1955, Carl Milles et son épouse Olga vivaient en hiver à Rome où il travaillait au bureau de l'American Academy. Chaque année, il passait les mois d'été dans sa nouvelle maison de Lidingö, construite sur la terrasse inférieure de Millesgården. En 1936, une fondation qui transforme Millesgården en musée naît grâce à une généreuse donation de Milles. Lors de ses séjours à Millesgården, Milles offrait aux visiteurs le privilège de participer à une sorte de visite guidée parmi ses oeuvres, les accompagnant souvent personnellement. Les travaux d'embellissement et d'agrandissement de Millesgården ne cessèrent qu'à sa mort. Le jour de son quatre-vingtième anniversaire, le Gouvernement suédois offrit à l'artiste une copie colossale en bronze de son *Poséidon* (1930) qui s'ajoute aux autres oeuvres de Milles exposées à Millesgården. Quelques mois après cette cérémonie, Carl Milles s'éteint à Millesgården en septembre 1955.

CARL MILLES ES CONSIDERADO uno de los principales puntos de referencia de la escultura sueca del siglo XX. Su currículum se distingue con prestigiosos encargos públicos tales como *Europa y el Toro*, para la ciudad de Halmstad; *Poseidón*, para Gotemburgo; *La fuente de Orfeo*, para el exterior de la Konserthus (Sala de Conciertos) en Estocolmo y *La fuente de los Folkunga*, para Linkoping, además de importantes reconocimientos internacionales y muchas obras monumentales en Estados Unidos.

Dotado de una sorprendente vena artística y de una gran capacidad productiva, Carl Milles recorre su camino con el deseo constante de renovarse, acogiendo cada nuevo compromiso como un reto y luchando por alcanzar el objetivo que satisfaga sus aspiraciones. La dura verificación a la que el escultor somete sus obras se evidencia en El cantor del sol, cuya ejecución requirió de siete años y sufrió repetidas modificaciones.

Carl Milles nace el 23 de junio de 1875 en Örby, población cercana a Uppsala. Del padre, Emil Andersson, oficial del ejército con el sobrenombre de "Mille", Carl adopta más tarde el apellido Milles. El pequeño Carl prefiere el mundo de la fantasía a aquel de la escuela; el arte y la poesía lo subyugan, ama la naturaleza y en las expresiones artísticas y literarias busca la belleza. Al término de la enseñanza básica, y después de permanecer como aprendiz en una carpintería y de un periodo de estudios en el Politécnico de Estocolmo, Carl Milles recibe una beca por parte de la Academia Suecd de Artes v Oficios. A su llegada a París en 1897 se encuentra con su gran inspirador, el célebre escultor francés Auguste Rodin, y con su futura esposa, la pintora austriaca Olga Granner, con la que se compromete en el año de 1900 y se casa cinco años más tarde en Graz, Austria, ciudad natal de la última. En 1906, al finalizar un año de estudio en Munich, Alemania, Carl y Olga Milles se trasladan a Lidingö, en las cercanas de Estocolmo, donde Carl construye su casa taller, el Millesgården. En Suecia, el escultor obtiene un importante reconocimiento con *El monumento a Sten Sture*, encargado por la Asociación de los Estudiantes de la Universidad de Uppsala. En los años sucesivos, Carl Milles se dedica a trabajar y viajar. En Europa, los Milles adquieren innumerables obras de arte, reunidas actualmente en la Colección Millesgården.

Las esculturas producidas en Suecia durante los años veinte dan testimonio de un fértil periodo del artista quien, además de los trabajos de escultura, se dedica a la

enseñanza en la Real Academia de Bellas Artes en Estocolmo. En 1927 recibe los primeros reconocimentos internacionales a raíz de una exposición en la Tate Gallery de Londres, seguida poco tiempo después de numerosas muestras en Alemania.

En 1931 los Milles se trasladan a Estados Unidos, donde el escultor practica la docencia hasta 1951 en la Cranbrook Academy of Art en Bloomfield Hills, cerca de Detroit, Michigan. Durante el periodo estadounidense Milles realiza algunas de sus obras más importantes, como la fuente *El encuentro de los ríos*, en Saint Louis y *La fuente de la Resurrección*, no lejos de Washington, D.C. Con estas composiciones jubilosas y divertidas, creadas para alegrar los ánimos, la actitud humorística del escultor encuentra un amplio respiro.

Los temas existenciales y la búsqueda espiritual significan para Milles intereses y valores humanos. Sus escritos contienen expresiones de profunda devoción de frente a la vida y el universo, y entre sus obras más importantes se encuentra *La mano de Dios* la cual, probablemente, más que ninguna otra, pone en evidencia la interioridad y la vocación artística del escultor. La obra es realizada en los primeros años de la década de los cincuenta, tras su retorno de Estados Unidos a Europa. En este lapso y hasta 1955, el año de su muerte, Milles y su esposa viven en Roma, donde el escultor es huésped de la American Academy. En Roma toman forma, además de *La mano de Dios*, las obras *San Martín* y *La fuente de Aganippe*. Durante el verano, los cónyuges Milles regresan a Lidingö, a su nueva habitación sobre la terraza inferior del Millesgården.

El Millesgården, convertido en fundación desde 1936 por voluntad del artista, es entregado más tarde al pueblo sueco. Milles, quien solía guiar personalmente a los visitantes del museo, dedica los últimos años de su vida al proyecto de ampliación y reestructuración del Millesgården. El Estado sueco le dona, con ocasión de su octagésimo cumpleaños en junio de 1955, una copia del *Poseidón*. Pocos meses más tarde, en septiembre, Carl Milles muere en su casa de Millesgården.

Среди скульпторов XX века Карл Миллес занимает совершенно особое место, свидетельство чему – его многочисленные произведения, установленные в разных городах мира. В самой Швеции это такие выдающиеся работы, как *Фонтан Европа* в Хальмстаде, *Фонтан Посейдон* в Гётебурге, *Фонтан Орфей* перед Стокгольмским концертным залом. Миллесу удалось получить и воистину международное признание, особенно в США, где он жил и трудился в течении двадцати лет (1931–51).

Его творчество очень разнообразно, лишь изредка скульптор сбивался на рутину. Миллес сумел избежать творческого застоя благодаря своему неизбывному духу поиска. Каждый новый заказ для него становился актом борения за достижение новой цели – и в личном, и в эстетическом плане. Статуя *Певец Солнца*, например, отняла у ваятеля семь лет работы: он неоднократно ее переделывал прежде, чем удовлетворился результатом.

Карл Миллес родился в момент летнего солнцестояния, в 1875 г., на хуторе Эрби, прихода Лагга в Уппланде. Его отец, Эмиль Андерссон, служил в шведской армии. Друзья и сослуживцы звали Андерссона "Милле", что послужило основой для принятия его детьми новой фамилии, Миллес. Карл рос мечтательным ребенком и плохо учился в школе. В нем рано вызрели художественные интересы: мальчик полюбил природу и литературу, проводя время за прогулками, чтением стихов и разглядыванием альбомов. Закончив школу в 16 лет, Карл прошел практику в плотницкой мастерской. В 1890-х гг. он посещал стокгольмский техникум, а в 1897 г. Шведское общество ремесел наградило юношу премиальной поездкой. Так, в том же году, он попал в Париж, где остался почти на семь лет, посвятив свое время интенсивной учебе и работе.

В Париже Карл Миллес познакомился с Огюстом Роденом, творчество которого произвело на него сильнейшее впечатление. Во французской столице он встретил и австрийскую портретистку Ольгу Граннер, ставшую его женой. В 1900 г. состоялась помолвка, которую молодые люди хранили в секрете, а спустя пять лет Карл и Ольга поженились в Граце (Австрия). Прожив некоторое время в Мюнхене, в 1906 г. Миллес, вместе с Ольгой, вернулся в Швецию. Чета поселилась на острове Лидингё, в доме со специально устроенной мастерской. Первое признание на родине к нему пришло чуть раньше, в 1905 г., когда Упсальский университет заказал скульптору памятник Стену Стуре, средневековому шведскому королю. Последующие годы были посвящены работе и путешествиям. В 1920-х гг. Миллес увлекся коллекционированием, скупая в разных уголках Европы превосходные вещи – в настоящее время они составляют основу выставки в Миллесгорден. Тогда же он изваял ряд статуй, составивших веху в истории шведской культуры и стал профессором ваяния Королевской Академии изящных искусств в Стокгольме. Международная слава к мастеру впервые пришла в 1925 г., когда он получил золотую медаль на парижской Выставке прикладного искусства и промышленности. В 1927 г., после персональной выставки в лондонской Галерее Тейт, она упрочилась. В конце 1920-х гг. Миллес выполнил несколько важных заказов для крупных немецких и американских городов.

В 1931 г. супруги переселились в США, где Карл провел двадцать лет, занимая кафедру на факультете скульптуры в Кренбрукской Академии искусств в Блумфилд-Хиллс близ Детройта, штат Мичиган. В эти годы появились его эпохальные произведения: *Обручение рек* в Сент-Льюисе, штат Миссури, *Фонтан веры* в Вашингтоне и ряд других. В этих фонтанах скульптор давал полный простор своей фантазии, стремясь пробудить у зрителей настроение детской непосредственности. Филофский смысл его работ гармонично соединялся с юмором, что еще более способствовало признанию у публики.

Интерес публики к творчеству Карла Миллеса постоянно растет, как в Швеции, так и за ее пределами: об этом свидетельствует крупный успех его выставок в России, Швейцарии, Италии и Мексике, в то время, как на родине скульптора была сооружена самая крупная из его работ, *фонтан Радуга*. Этот монумент, посвященный миру, в 1946 г. предполагалось установить у штаб-квартиры ООН в Нью-Йорке, но проект не был реализован. Прошло полвека, и в сентябре 1995 г. шведский король Карл XVI Густав торжественно открыл памятник, высотой 24 м, близ стокгольмского порта.

В последний период своей жизни маэстро проводил зимы, вместе со своей супругой Ольгой, в Риме, где работал в ателье Американской Академии, возвращаясь летом на остров Лидингё, в новый дом, возведенный на террасе под Садом Миллеса. Еще в 1936 г. благодаря щедрости ваятеля учредился особый фонд, обративший в музей Миллесгорден. Очень часто сам автор водил здесь экскурсии. До последних дней Миллес продолжал украшать и расширять необычное собрание под открытым небом. В день своего 80-летия он получил от шведского правительства почетный дар – колоссальную бронзовую копию своего *Посейдона* (1930), которая тоже была водружена в Саду Миллеса. В том же Миллесгордене, в сентябре 1955 г., спустя несколько месяцев после этой церемонии, великий художник скончался.

◁

»Låt mig verka medan dagen brinner«, en citat från syster Ruths diktsamling, använde Carl Milles som en devis på entrégrinden som han ritat till Millesgården.

"Let me work while the day is burning," a quotation from sister Ruth Milles poetry, serves as a device on the entrance gateway Carl designed for Millesgården.

„Laßt mich arbeiten, während die Sonne noch brennt", Auszug aus einem Gedicht der Schwester Ruth Milles an dem Tor des Eingangs zu Millesgården, welches von Carl entworfen wurde.

«Laissez moi travailler tant que le soleil brille encore», citation extraite d'une poésie de sa soeur Ruth Milles, sur le portail d'entrée conçu par Carl pour Millesgården.

"Déjenme trabajar mientras siga ardiendo el sol", cita de un poema de la hermana Ruth Milles, en la cancela de la entrada proyectada por Carl para Millesgården.

«Дай мне трудиться пока день горит» – эту цитату из стихотворения своей сестры Рут ваятель использовал для девиза на вратах Миллесгордена.

Millesgården

△

FRUKOSTRUMMET *Olga Milles har utfört de dekorativa målningarna i blått på skåpdörrarna, och på väggarna finns blått 1700-tals kakel från Delft.*

BREAKFAST NOOK *In the cabinet, painted by Olga Milles with motives loaned from the Dutch Delpht tile wall covering, are seen the couple's pewter and ceramic collection. The chairs incorporate folk-art carvings in the decor.*

FRÜHSTÜCKSECKE *In der von Olga Milles bemalten Vitrine, deren Motive den holländischen Delfter Fayencen entnommen sind, kann man die Keramik- und Zinnkollektion des Paars bewundern. Die Verzierung der Stühle weist typische Schnitzereien des lokalen Kunsthandwerks auf.*

COIN DU PETIT DÉJEUNER *Dans la petite vitrine, peinte par Olga Milles avec des motifs*

empruntés aux majoliques hollandaises de Delft, on peut admirer la collection de céramiques et d'étains du couple. La décoration des chaises représente des sculptures typiques de l'artisanat local.

RINCÓN DEL DESAYUNO *En la vitrina pintada por Olga Milles con motivos tomados de las mayólicas holandesas de Delft, se puede admirar la colección de cerámicas y peltres de la pareja. La decoración de las sillas repre-*

senta grabados típicos de la artesanía local.

Уголок для завтраков *В кабинете, расписанном Ольгой Миллес мотивами, почерпнутыми в голландских дельфтских изразцах, видна и коллекция керамической и медной посуды. В декоре стульев – народная резьба.*

△

MUSIKRUMMET *Man kan fort-farande använda Musikrummet som konsertlokal, precis som på Carl Milles tid. På väggarna hänger en del av Milles stora konstsamling, bl.a. arbeten av Pisarro, Utrillo, Rodin, Lorrain och Canaletto.*

MUSIC ROOM *Maintaining a tradition from Milles' time, concerts are still arranged in the Music Room. Carl and Olga's*
large collection of art, including works by Pisarro, Utrillo, Rodin, Lorrain and Canaletto, are on view on the walls.*

MUSIKSAAL *An einer Tradition aus der Zeit Milles' festhaltend, werden auch heute noch Kon-zerte in diesem Saal abgehalten. Die reichhaltige Kunstkollektion von Carl und Olga, worunter sich Werke von Pisarro, Utrillo, Rodin, Lorrain und Canaletto befinden.*

SALON DE MUSIQUE *Fidèles à une tradition qui date de l'époque de Milles, on y organise encore des concerts. La riche collection d'art de Carl et d'Olga nous permet d'admirer des oeuvres de Pisarro, Utrillo, Rodin, Lorrain et Canaletto.*

SALA DE LA MÚSICA *Conser-vando una tradición del periodo de Milles, hoy todavía se celebran conciertos en esta sala. La rica colección de arte de Carl y Olga*
entre la que se pueden contemp-lar obras de Pisarro, Utrillo, Rodin, Lorrain y Canaletto.*

Музыкальный салон
По традиции, установленной самим Миллесом, концерты идут здесь и сейчас. По стенам – образцы большого художественного собрания Карла и Ольги, работы Писсаро, Утрилло, Родена, Лоррена и Канелетто.

▷

RÖDA RUMMET *som har ett Pompei-inspirerat mosaikgolv skapat av Milles själv samt väggar utförda i stucco lustro.*

THE RED ROOM *with its Pompei inspired mosaic floor designed by Milles and walls treated with elegant stucco lustro.*

DER ROTE SAAL *mit dem Mosaikfußboden pompeja-nischer Inspiration, der von Milles entworfen wurde, und die eleganten Wände mit Stuck-verzierungen.*

LA SALLE ROUGE *et son sol agrémenté de mosaïques inspiré de l'art pompéien projeté par Milles et les murs élégants décorés de stucs.*

LA SALA ROJA *con el suelo de mosaico de inspiración pompeyana proyectado por Milles y las elegantes paredes decoradas con estuco.*

Красная комната *с мозаикой на полу, выложенной Миллесом в помпейском стиле, и стенами с изящной глянцевитой лепниной.*

△
SOLGLITTER *En nymf rider på sin delfin (1918).*
Milles eget favoritarbete. Brons.

SUNGLITTER *Water nymph astride a dolphin (1918).*
The sculptor's own favourite work. Bronze.

SONNENFUNKEN *Wassernymphe auf dem Rücken eines Delphins*
(1918). Das vom Bildhauer selbst am meisten geliebte Werke. Bronze.

ETINCELLES DE SOLEIL
Nymphe dans l'eau sur le dos d'un dauphin (1918).
C'est l'oeuvre préférée du sculpteur. Bronze.

CENTELLEO DE SOL *Ninfa de las aguas sobre el dorso de un*
delfín (1918). La obra más amada por el escultor. Bronce.

Блеск солнца *Нимфа верхом на дельфине,*
любимое произведение автора (бронза; 1918).

△
DANSANDE MENAD *Denna bronsrelief från 1913 är en skiss i liten*
skala till den stora skulpturen i kalksten man kan se i passagen intill
antiksamlingen.

DANCING MAENAD *This bronze relief from 1913 is a small preparatory*
model for Milles' large limestone sculpture to be seen in the passage
leading to the collection of Greek and Roman antiquities.

TANZENDE MÄNADE *Dieses Bronzerelief aus dem Jahre 1913, welches*
Milles als Modell für die große Marmorskulptur diente, kann in der
Passage bewundert werden, die zu den Kollektionen der griechischen
und römischen Antiquitäten führt.

BACCHANTE DANSANTE *On peut admirer ce modèle en bronze de*
1913, dont Milles s'inspira pour réaliser la grande sculpture en marbre,
sur le chemin qui conduit à la collection d'antiquités gréco-romaines.

MÉNADE DANZANTE *Este modelo de bronce del año 1913 que sirvió*
a Milles para la realización de la gran escultura de mármol, se puede
contemplar a lo largo del itinerario que lleva a la colección de antigüe-
dades griegas y romanas.

Танцующая менада *Этот рельеф 1913 года послужил*
подготовительной моделью для большой известняковой
скульптуры Миллеса, установленной в коридоре, ведущем
к греческим и римским антикам.

GALLERIET *med sitt mosaikgolv och marmorerade väggar visar skisser till Milles större verk. Milles har även ritat de lampor av alabaster som hänger i taket.*

THE GALLERY *with its mosaic floor and marblised walls exhibits models to Milles' monumental works. Carl Milles also designed the alabaster lamps hanging from the ceiling.*

DIE GALERIE *mit ihrem Mosaikfußboden und den marmorierten Wänden zeigt die Modelle der Monumentalwerke von Milles. Carl Milles verdanken wir auch die Alabasterleuchter.*

LA GALERIE *Avec son sol couvert de mosaïques et ses murs marbrés, la galerie abrite les modèles des oeuvres monumentales de Milles. Il semble que les lampadaires en albâtre soient aussi l'oeuvre de Carl Milles.*

LA GALERÍA *Con su suelo de mosaico y las paredes de mármol, expone los modelos de las monumentales obras de Milles. Las lámparas de alabastro son también obra de Milles.*

Галерея *с мозаичным полом и облицованным мрамором стенами, содержит модели монументальных вещей Миллеса. Маэстро также спроектировал алебастровые светильники на потолке.*

△

ANTIKEN *Milles började samla antika skulpturer på 20-talet och fortsatte med det hela sitt liv. Eftersom han själv var skulptör, kunde han skapa en konstnärligt enastående samling.*

THE ANTIQUE *Milles began collecting Greek and Roman antiquities during the 1920's and continued throughout his life. Being a sculptor himself, he was able to assemble a collection of extraordinary artistic distinction.*

ANTIQUITÄTEN *Milles begann in den 20er Jahren, griechische und römische Antiquitäten zu sammeln und führte dies sein ganzes Leben lang fort. Selbst ein Bildhauer, gelang es ihm, eine Sammlung mit bemerkenswerten Kunstgegenständen zusammen- zustellen.*

ANTIQUITÉS *Milles commença à collectionner des antiquités gréco-romaines dans les années 20 et continua à le faire pendant toute sa vie. Sculpteur lui-même, il réunit toute une série d'oeuvres d'art extraordinaires.*

ANTIGÜEDAD *Milles empezó a coleccionar antigüedades griegas y romanas durante los años '20 y continuó haciéndolo durante toda su vida. Siendo escultor él mismo, fue capaz de reunir una colección de extraordinarias pie- zas de arte.*

Антики *Миллес начал собирать греческие и римские древности, начиная с 1920-х годов и до конца жизни. Будучи сам скульптором, он сумел создать коллекцию необыкновенного художественного значения.*

△

TARANTELLA *från Milles ungdomsår i Paris (1901–02) förenar två av hans favoritmotiv – musik och dans.*

TARANTELLA *created in Milles youth in Paris (1901–02) combines his two favorite motives – music and dance.*

TARANTELLA *Werk der Jugendjahre von Milles in Paris (1901–02), vereinigt es seine beiden Lieblingsthemen: Musik und Tanz.*

TARENTELLE *Oeuvre du jeune Milles pendant son séjour à Paris (1901–02), où l'on retrouve ses deux thèmes favoris: la musique et la danse.*

TARANTELA *Obra de los años jóvenes de Milles en París (1901–02), reúne sus dos temas favoritos: música y danza.*

Тарантелла *изваянная юным Миллесом в Париже (1901–02), соединяет два его излюбленных мотива – музыку и танец.*

◁

SERPENTINDANERSKAN *är inspirerad av Loïe Fullers danser. En studie i brons utfört i Paris, 1901.*

SERPENTINE DANCER *A study in bronze inspired by Loïe Fuller created in Paris, 1901.*

SICH SCHLÄNGELNDER TÄNZER *Bronzestudie inspiriert durch Loïe Fuller, Paris, 1901.*

DANSEUR SINUEUX *Étude en bronze inspiré par Loïe Fuller, Paris, 1901.*

BAILARÍN SINUOSO *Estudio de bronce inspirado por Loïe Fuller, París, 1901.*

Змеевидный танцор *бронзовый этюд, вдохновленный Луэ Фуллерот и исполенный в Париже (1901).*

TRITONEN *Milles första skulpturfontän (1916), beställd av Prins Eugen. Brons och svart granit.*

TRITON FOUNTAIN *Milles' first sculpture fountain (1916), commissioned by Prince Eugen. Bronze and black granite.*

TRITONBRUNNEN *Die erste Skulptur Milles' (1916), die ihm von Prinz Eugen in Auftrag gegeben wurde. Bronze und schwarzer Granit.*

FONTAINE DE TRITON *C'est la première sculpture de Milles (1916) commandée par le Prince Eugen. Bronze et granit noir.*

FUENTE DEL TRITÓN *La primera escultura de Milles (1916) que le fue encargada por el Príncipe Eugen. Bronce y granito negro.*

Фонтан Тритон *Первый скульптурный фонтан Миллеса, изваянный по заказу принца Евгения (бронза, черный гранит; 1916)*

△

A LA BELLE ÈTOILE *»Under stjärnorna« – den tidigaste stenskulpturen av Carl Milles i Millesgårdens samlingar. Ett hemlöst par sover på parkbänken i Paris (1900). Täljsten.*

UNDER THE STARS *The earliest stone sculpture by Carl Milles in Millesgården's collection. A homeless couple asleep on a park bench in the Parisian night (1900). Soapstone.*

UNTER DEN STERNEN *Eine der ersten Steinskulpturen von Carl Milles der Kollektion von Millesgården. Ein Paar Vagabunden, die auf einer Bank im Park eingeschlafen sind, in einer Pariser Nacht (1900). Speckstein.*

SOUS LES ÉTOILES *Une des premières sculptures en pierre de Carl Milles de la collection de Millesgården. Deux vagabonds endormis sur un banc du parc dans la nuit parisienne (1900). Stéatite.*

BAJO LAS ESTRELLAS *Una de las primeras esculturas de piedra de Carl Milles de la colección de Millesgården. Una pareja de vagabundos durmiendo en un banco del parque en una noche parisina (1900). Esteatita.*

Под звездами *Самая ранняя каменная скульптура в Миллесгордене. Бездомная пара спит на садовой скамье в парижской ночи (1900).*

◁

MUSA *I nischerna utanför Lilla Ateljén finns modellerna till »Två muser« (1925–27) utförda av Milles till Stockholms Konserthus. Marmor.*

MUSE *In the two loggia niches of the Little Studio stand models for "The Muses" (1925–27) made by Milles for Stockholm's Concert Hall. Marble.*

MUSE *In den beiden Nischen des Kleinen Ateliers befinden sich die Modelle, welche für „Die Musen" (1925–27), Werk Milles' für den Konzertsaal Stockholms, verwendet wurden. Marmor.*

MUSE *Deux niches du Petit Atelier abritent les modèles utilisés pour «Les Muses» (1925–27), oeuvre de Milles pour la Salle des Concerts de Stockholm. Marbre.*

MUSA *En las dos hornacinas del Pequeño Estudio se encuentran los modelos utilizados para "Las Musas" (1925–27), obra de Milles para la Sala de los Conciertos de Estocolmo. Mármol.*

Муза *В двух нишах Малого ателье установлены модели Муз, изваянных Миллесом для Стокгольмского концертного зала в 1925–27 годах (мрамор).*

△
SUSANNABRUNNEN *Med detta bibliska arbete utfört i svart granit vann Milles Grand Prix på Världsutställningen i Paris 1925.*

SUSANNA FOUNTAIN *This biblical work, executed in black Swedish granite, was awarded the Grand Prix at the World's Expo. in Paris, 1925.*

BRUNNEN DER SUSANNA *Diesem biblischen Werk aus schwarzem Schwedengranit wurde in der Weltausstellung von Paris, 1925, der „Grand Prix" verliehen.*

FONTAINE DE SUSANNA *Cette oeuvre biblique en granit noir suédois reçut le «Grand Prix» à l'Exposition Universelle de Paris en 1925.*

FUENTE DE SUSANA *A esta obra bíblica de granito negro sueco se le asignó el "Grand Prix" en la Exposición Universal de París, 1925.*

Фонтан Сусанна *Этот библейский сюжет, изваянный из черного шведского гранита, получил Большой приз на Всемирной выставке в Париже в 1925 году.*

△
DANSERSKORNA *visades första gången på den legendariska Baltiska Utställnigen i Malmö, 1914.*

DANCING GIRLS *were exhibited for the first time at the legendary Baltic Exhibition in Malmö, 1914.*

DIE TANZENDEN MÄDCHEN *wurden zum ersten Mal anläßlich der legendären Baltischen Ausstellung von Malmö 1914 ausgestellt.*

LES JEUNES FILLES EN TRAIN DE DANSER *furent exposées pour la première fois à l'occasion de la légendaire Exposition Baltique de Malmö en 1914.*

LAS MUCHACHAS DANZANTES *fueron expuestas por primera vez con ocasión de la legendaria Exposición Báltica de Malmö en el año 1914.*

Танцующие девушки *впервые выставленные на легендарной Балтийской выставке в Мальмё в 1914 году.*

▷

MELLERSTA TERRASSEN
*I förgrunden Carl Milles skulptur
»Sven Hedin« (1931). Den forsk-
ningsresande Sven Hedin sitter
på en kamel i Gobiöknen i Kina
och mäter solhöjden. I bak-
grunden huvudet till »Poseidon«
(1930). Båda i brons.*

MIDDLE TERRACE *In the fore-
ground Carl Milles sculpture
"Sven Hedin" (1931). The Swedish
geographer is depicted astride
a camel, while exploring the
Chinese Gobi Desert. In the back-
ground a detail of "Poseidon's
head" (1930). Both in bronze.*

DIE MITTLERE TERRASSE
*Im Vordergrund, die Skulptur von
Carl Milles „Sven Hedin" (1931).
Der schwedische Geograph ist auf
einem Kamelrücken dargestellt,
während er die chinesische Wüste
Gobi erforscht. Im Hintergrund,
Detail des „Poseidonkopfes"
(1930). Beide aus Bronze.*

TERRASSE CENTRALE
*Au premier plan, la sculpture de
Carl Milles «Sven Hedin» (1931).
Le géographe suédois est repré-
senté à dos de chameau en train
d'explorer le désert de Gobi. En
toile de fond, détail de la «Tête de
Poséidon» (1930). En bronze tous
les deux.*

LA TERRAZA CENTRAL
*En primer plano, la escultura de
Carl Milles "Sven Hedin" (1931).
El geógrafo sueco aparece repre-
sentado sobre el dorso de un
camello mientras explora el
desierto chino de Gobi. Al fondo,
un detalle de la "Cabeza de
Poseidón" (1930). Ambos de
bronce.*

Средняя терраса
*На переднем плане – статуя
«Свена Гёдина» (бронза; 1931):
Миллес изобразил шведского
географа верхом на верблюде в
процессе изучения китайской
пустыни Гоби. На заднем
плане – деталь «Головы
Посейдона» (бронза; 1930).*

◁

MELLERSTA TERRASSEN
»Poseidons huvud« i förgrunden och »Solsångarens« torso i bakgrunden.

MIDDLE TERRACE *"Poseidon's head" in the foreground and the "Sunsinger's" torso in the background.*

DER MITTLEREN TERRASSE *„Poseidonkopf" im Vordergrund und Torso des „Sonnensängers" im Hintergrund.*

LA TERRASSE CENTRALE *La « Tête de Poséidon » au premier plan. Dans le fond, buste du « Chanteur du Soleil ».*

LA TERRAZA CENTRAL *"Cabeza de Poseidón" en primer plano. Al fondo, busto del "Cantante del Sol".*

Средняя терраса *На переднем плане – «Голова Посейдона», на заднем – торс «Певца солнца».*

▷

VENUS FÖDELSE [SUSANNA II] *Carl Milles skapade brunnen »Venus födelse« 1917 ursprungligen som ett tävlingsförslag till ett monument över Stockholms grundande.*

THE BIRTH OF VENUS *Originally as an entry in a sculpture competition to com-memorate Stockholm's founding, Milles created the fountain »The Birth of Venus«, 1917.*

DIE GEBURT DER VENUS *Ursprünglich bei einem Bildhauerwettbewerb zur Erinnerung an die Gründung Stockholms eingereicht. Milles realisierte den Brunnen „Die Geburt der Venus" im Jahre 1917.*

LA NAISSANCE DE VÉNUS *Au départ, elle fut présentée à un concours de sculpture organisé pour commémorer la fondation de Stockholm. Milles réalisa la fontaine « La Naissance de Vénus » en 1917.*

EL NACIMIENTO DE VENUS *Originariamente presentado en un concurso de escultura para conmemorar la fundación de Estocolmo. Milles realizó la fuente "El Nacimiento de Venus" en el año 1917.*

Рождение Венеры *Первоначально – конкурсная работа на состязании скульпторов по случаю основания Стокгольма (1917).*

▷

FOLKE FILBYTER *Milles Folkungabrunnen som föreställer Folkungasläktens hedniska förfader invigdes 1927. Brons och granit.*

FOLKE FILBYTER *In 1927 Milles' Folkunga monument was unveiled, depicting the legendary heathen founder of the Folkunga dynasty. Bronze and granite.*

FOLKE FILBYTER *1927 wurde das Folkunga Denkmal von Milles, das den legendären Heiden der Folkunga-Dynastie darstellt, enthüllt. Bronze und Granit.*

FOLKE FILBYTER *En 1927, Milles présenta le monument aux Folkunga, représentant le légendaire fondateur barbare de la dynastie des Folkunga. Bronze et granit.*

FOLKE FILBYTER *En el año 1927 se presentó el monumento a los Folkunga de Milles, que representa el legendario fundador bárbaro de la dinastía de los Folkunga. Bronce y granito.*

Фольке-фильбитер *В 1927 году был открыт монумент Фолькунга, представляющий легендарного язычника-основателя династии Фолькунга (бронза, гранит).*

◁

JONA OCH VALFISKEN [1932]
Profeten Jona är på väg att spottas ut av valfisken i denna bronsfontän på Millesgårdens Nedre terrass.

JONAH AND THE WHALE [1932]
The Old Testament prophet Jonah being ejected from the whale in a bronze fountain on Millesgården's Lower Terrace.

JONAS UND DER WAL [1932]
Der Prophet Jonas des Alten Testaments während er von dem Walfisch ausgeworfen wird, auf einem Bronzebrunnen auf der Unteren Terrasse von Millesgården.

JONAS ET LA BALEINE [1932]
La baleine ejectant le prophète Jonas de l'Ancien Testament sur une fontaine en bronze de la Terrasse Inférieure de Millesgården.

JONÁS Y LA BALLENA [1932]
El profeta Jonás del Antiguo Testamento mientras es expulsado por la ballena en una fuente de bronce en la Terraza Inferior de Millesgården.

Иона и кит [1932]
Ветхозаветный пророк Иона извергаемый морским чудищем в бронзовом фонтане на Нижней террасе Миллесгордена.

▷

INDIANHUVUD *En detalj från ett fredsmonument Milles utförde i St.Paul, USA, föreställande indianguden Manitou (1936). Svart granit, Nedre terrassen.*

INDIAN'S HEAD *Detail of the Indian God Manitou, "The Great Spirit" from Milles' colossal Peace Monument in St.Paul. USA (1936). Black granite, Lower Terrace.*

INDIANERKOPF *Detail des Indianergottes Manitu, „Der Große Geist", aus Milles kolossalem Friedensmonument in St. Paul, Vereinigte Staaten (1936). Schwarzer Granit, Untere Terrasse.*

TÊTE D'INDIEN *Détail du dieu indien Manitou, «Le Grand Esprit» extrait du colossal Monument de la Paix de Milles à St. Paul, Etats-Unis (1936). Granit noir, Terrasse Inférieure.*

CABEZA DE INDIO *Detalle del dios indio Manitú, "El Gran Espíritu" sacado del colosal Monumento de la Paz de Milles en St. Paul, Estados Unidos (1936). Granito negro, Terraza Inferior.*

Индейская голова *На нижней террасе. Фрагмент статуи индейского бога Манитоу, «Великого Духа», из гигантского Монумента миру в городе Сент-Поль, США (черный гранит; 1936).*

△▷
UPPSTÅNDELSEGRUPPEN *Skulpturer från »Uppståndelsefontänen« (1938–52) på Nedre terrassen. De som ses här är från vänster: »Systrarna«, »Den lyssnande kvinnan« och »Eremiten«. De representerar människor som konstnären kände innan de dog, och som har väckts till evigt liv.*

FOUNTAIN OF FAITH *On the Lower Terrace a selection of figures from Milles "Fountain of Faith" (1938–52). The three seen here are: "The Sisters", "The Listening Woman" and "The Hermit". They represent people that the artist had known before their death, who are resurrected to eternal life.*

BRUNNEN DES GLAUBENS *Auf der Unteren Terrasse, eine Auswahl von Figuren aus dem „Brunnen des Glaubens" von Milles (1938–52). Die drei Figuren, die wir hier bewundern können, sind: „Die Schwestern", „Die zuhörende Frau" und „Der Eremit" Sie stellen Personen dar, die der Künstler vor ihrem Tod kannte und die dank Milles unsterblich geworden sind.*

LA FONTAINE DE LA FOI *La Terrasse Inférieure accueille une sélection de figures extraites de «La Fontaine de la foi» de Milles (1938–52). Les trois que l'on peut admirer ici sont: «Les Soeurs», «La Femme à l'écoute» et «L'Ermite». Elles représentent des personnes que connaissait l'artiste avant leur décès et qui, grâce à lui, resteront immortelles.*

LA FUENTE DE LA FE *En la Terraza Inferior, una selección de figuras sacadas de "La Fuente de la Fe" de Milles (1938–52). Las tres figuras que podemos admirar aquí son: "Las Hermanas", "La Mujer que escucha" y "El Hermitaño". Representan personas conocidas por el artista antes de su muerte que gracias a Milles permanecerán inmortalizadas.*

Фонтан веры *На Нижней террасе выставлено несколько фигур из композиции Миллеса «Фонтан веры» (1938–52). Три, здесь изображенных, это – «Сестры», «Слушающая женщина» и «Отшельник», представляющая умерших людей, которых Миллес знал и которые воскресли для вечной жизни.*

▷

MUSICERANDE ÄNGLAR
Många av Milles senare arbeten svävar fritt i luften. (1949–50). Brons. Nedre terrassen.

ANGEL MUSICIANS *During the artist's last years many of his works appear air borne. (1949–50). Bronze. Lower Terrace.*

HIMMLISCHE MUSIKER
In den letzten Lebensjahren des Künstlers erscheinen viele seiner Werke wie in der Luft schwebend (1949–50). Bronze. Untere Terrasse.

MUSICIENS ANGÉLIQUES
Les oeuvres créées par Milles vers la fin de son existence semblent suspendues dans les airs (1949–50). Bronze. Terrasse Inférieure.

MÚSICOS ANGELICALES
Durante los últimos años de vida del artista, sus obras parecen suspendidas en el espacio (1949–50). Bronce. Terraza Inferior.

Ангелы-музыканты
На нижней террасе (бронза; 1949–50). Последние работы Миллеса кажутся воздушными.

◁
POSEIDON [1930] *Havsguden*
»Poseidon« står nedanför
Himmelstrappan på Nedre
terrassen.

POSEIDON [1930] *God of the*
Sea, stands at the foot of the
"Stairway to Heaven", on
Millesgården's Lower Terrace.

POSEIDON [1930] *Gottes des*
Meeres, zu Füßen der „Treppe
zum Paradies", auf der Unteren
Terrasse von Millesgården.

POSÉIDON [1930] *Dieu de la*
Mer, au pied du «Grand Escalier
vers le Paradis» sur la Terrasse
Inférieure de Millesgården.

POSEIDÓN [1930] *Dios del Mar,*
al pie de la "Escalinata hacia el
Paraíso", en la Terraza Inferior de
Millesgården.

Посейдон [1930] *Бог морей*
стоит у подножья «Лестницы
в Небо» на Нижней террасе
Сада Миллеса.

▷

GUDS HAND [1954] *är en av Milles mest kända och upp-skattade verk. Temat är bekant från den franska skulptören Auguste Rodin, som Milles assisterade i sina unga år i Paris.*

THE HAND OF GOD [1954] *is one of Milles' most renowned sculptures. The theme is a further development of a work by master sculptor Auguste Rodin, who Milles assisted in his early years in Paris. Bronze.*

DIE HAND GOTTES [1954] *ist eine der bekanntesten Skulpturen Milles'. Das Thema ist eine Weiterführung eines Werkes des Meisters Auguste Rodin, mit welchem Milles in den ersten Jahren in Paris zusammen-arbeitete. Bronze.*

LA MAIN DE DIEU [1954] *est une des sculptures les plus célèbres de Milles. Elle s'inspire encore une fois d'une oeuvre d'Auguste Rodin avec lequel Milles travailla lors de son séjour à Paris. Bronze.*

LA MANO DE DIOS [1954] *es una de las esculturas más famosas de Milles. El tema es una ulterior elaboración de una obra del maestro Auguste Rodin con quien Milles colaboró en sus primeros años en París. Bronce.*

Божья длань, одна из самых знаменитых работ ваятеля (бронза, 1954). Скульптура развивает тему одной из композиций Огюста Родена, которому юный Миллес ассистировал в Париже.

▷

MÄNNISKAN OCH PEGASUS *Detta sena mästerverk från 1949 med den bevingade hästen Pegasus svävar fritt i luften och trotsar tyngdlagen.*

MAN AND PEGASUS *This late masterpiece from 1949, depicts the flying horse of Greek myth, seemingly defying the laws of gravity. Bronze.*

MENSCH UND PEGASUS *Dieses Meisterwerk aus den letzten Jahren (1949) stellt das geflügelte Roß der griechischen Sage, das den Gesetzen der Schwerkraft zu trotzen scheint, dar. Bronze.*

HOMME ET PÉGASE *Ce chef-d'-oeuvre de ses dernières années (1949) représente le cheval ailé du mythe grec qui semble défier les lois de la gravité. Bronze.*

HOMBRE Y PEGASO *Esta obra maestra de los últimos años (1949) representa el caballo alado del mito griego que parece retar las leyes de la gravedad. Bronce.*

Человек и Пегас *Этот поздний шедевр (1949), представляет мифологического скакуна как будто нарушающим законы земного тяготения.*

△

GENIUS *Minnesmonument över skådespelaren Gösta Ekman (1940). Brons. Ursprungligen tänkt som ett minnesmonument över August Strindberg.*

GENIUS *Memorial monument originally inspired by Swedish dramatist, August Strindberg (1940). Bronze.*

GENIUS *Gedenktafel, ursprünglich vom schwedischen Dramaturgen August Strindberg (1940) inspiriert. Bronze.*

GÉNIE *Pierre tombale inspirée du dramaturge suédois August Strindberg (1940). Bronze.*

GENIO *Lápida inspirada originariamente por el dramaturgo sueco August Strindberg (1940). Bronce.*

Гений *(бронза; 1940). Мемориальный монумент, вдохновленный творчеством шведского драматурга Августа Стриндберга.*

△

EUROPA OCH TJUREN *I denna skulpturfontän från 1926 blir den feniciska prinsessan Europa bortrövad av guden Zeus som har förvandlat sig till en magnifik tjur. Brons.*

EUROPA AND THE BULL *In this sculpture fountain from 1926 we see the mythical Phoenician princess Europa being abducted by the God Zeus, who has taken the form of a mighty bull. Bronze.*

EUROPA UND DER STIER *Auf diesem Brunnen von 1926 sehen wir die sagenhafte phönizische Prinzessin Europa, die von Zeus in Gestalt eines mächtigen Stieres geraubt wird. Bronze.*

EUROPE ET LE TAUREAU *Sur cette fontaine de 1926, on peut admirer la princesse phénicienne légendaire Europe lors de son enlèvement par Jupiter sous les traits d'un puissant taureau. Bronze.*

EUROPA Y EL TORO *En esta fuente del año 1926 podemos contemplar la mítica princesa fenicia Europa que es raptada por Júpiter bajo la apariencia de un potente toro. Bronce.*

Европа и бык (1926) *Этот скульптурный фонтан изображает легендарную финикийскую царевну, похищаемую Зевсом в обличье могучего быка (бронза).*

▷

SOLGLITTER *Vattenspelet framhäver den vilda framfarten av najaden och delfinen över vågorna.*

SUNGLITTER *The water jets accentuate the wild ride of a water nymph and dolphin over the waves.*

SONNENFUNKEN *Die Wasserstrahlen unterstreichen das wilde Wellenreiten auf dem Rücken eines Delphins einer Wassernymphe.*

ETINCELLES DE SOLEIL *Les éclaboussures accentuent la chevauchée sauvage sur les vagues d'une nymphe sur le dos d'un dauphin.*

CENTELLEO DE SOL *Los surtidores de agua acentúan la cabalgata salvaje sobre las olas de una ninfa de las aguas sobre el dorso de un delfín.*

Блеск солнца *Водные струи подчеркивают стремительное движение нимфы и дельфина по волнам.*

◁

EUROPAFONTÄNEN [1926]
*står utanför Annes Hus, som är
ritad av Carl Milles bror, arkitekt
Evert Milles och med inredning
av Josef Frank.*

THE EUROPA FOUNTAIN [1926]
*stands before Anne's House,
which was designed by Carl's
brother, architect Evert Milles
and furnished by Josef Frank.*

DER EUROPABRUNNEN [1926]
*befindet sich gegenüber Annas
Haus, das vom Bruder Carls,
dem Architekten Evert Milles,
entworfen wurde.*

LA FONTAINE EUROPE [1926]
*se trouve en face de la Maison
d'Anne, projetée par le frère de
Carl, l'architecte Evert Milles.*

LA FUENTE EUROPA [1926]
*se encuentra frente a la Casa de
Ana, proyectada por el hermano
de Carl, el arquitecto Evert Milles.*

Фонтан Европа [1926]
*водружен перед Домом Анны,
построенным братом Карла,
зодчим Эвертом Миллесом.*

▷

GUD FADER PÅ HIMMELS-BÅGEN [1946] *skiss till ett freds-monument för FN-huset i New York. Numera står den 24 meter höga skulpturbrunnen i Nacka Strand vid inloppet till Stockholms hamn.*

GOD FATHER ON THE RAINBOW [1946] *a sketch for a peace monument intended for the UN Building in New York. The 24 meter tall sculpture fountain has now been realised and stands at Nacka Strand in the entrance to Stockholm's Harbor.*

GOTT VATER AUF DEM REGENBOGEN [1946] *Entwurf eines Friedensdenkmals, das für den Palast der Vereinigten Nationen in New York bestimmt war. Der 24 Meter hohe Brunnen ist jetzt realisiert worden und befindet sich in Nacka Strand am Eingang zum Hafen von Stockholm.*

DIEU SUR L'ARC-EN-CIEL [1946] *maquette d'un monument à la paix destiné au Palais des Nations Unies de New York. La fontaine, qui mesure 24 mètres de haut, a finalement été réalisée et se trouve sur Nacka Strand, à l'entrée du port de Stockholm.*

DIOS SOBRE EL ARCO IRIS [1946] *boceto de un monumento de la paz destinado al Edificio de las Naciones Unidas de Nueva York. La fuente, de una altura de 24 metros, al final ha sido realizada y se encuentra en Nacka Strand, en la entrada del puerto de Estocolmo.*

Бог-Отец на радуге [1946], *этюд к памятнику миру для здания ООН в Нью-Йорке. 24-метровый скульптурный фонтан недавно был реализован и установлен на набережной Нака у входа в стокгольмскую гавань.*

△

SANKT MARTINS FONTÄN [1955] *Originalet finns i Kansas City, USA.*

ST. MARTIN FOUNTAIN [1955] *Replica of the original in Kansas City, USA.*

ST. MARTINS BRUNNEN [1955] *Kopie des Originals, das sich in Kansas City, Vereinigte Staaten, befindet.*

FONTAINE DE SAINT MARTIN [1955] *Copie de l'original qui se trouve à Kansas City, aux Etats-Unis.*

FUENTE DE SAN MARTÍN [1955] *Copia del original que se encuentra en Kansas City, Estados Unidos.*

Фонтан Св. Мартин [1955] *Авторское повторение с оригинала из Канзас-Сити, США.*

△
LILLA ÖSTERRIKE *Carl och Olga Milles grav på terrassen Lilla Österrike*

LITTLE AUSTRIA *The grave chapel which houses the remains of Carl and Olga Milles.*

KLEIN ÖSTERREICH *Die Grab-kapelle, die die irdischen Reste von Carl und Olga Milles auf-nimmt.*

PETITE AUTRICHE *La chapelle où Carl et Olga Milles réposent.*

PEQUEÑA AUSTRIA *La capilla murtuoria donde reposan Carl y Olga Milles.*

Маленькая Австрия, *надгробная часовня, где покоются Карл и Ольга Миллес.*

△
NY UTSTÄLLNINGSHALL
Millesgårdens nya utställnings-hall, ritad av arkitekten Johan Celsing, invigdes den 4 oktober 1999. Byggnaden är uppförd på en sedan årtionden av Carl Milles förvärvad granntomt.

NEW EXHIBITION HALL *Milles-gården's new exhibition hall was inaugurated on october 4, 1999. The hall was built on a neigh-* boring property aquired by Carl Milles decades earlier.

NEUER AUSSTELLUNGSSAAL
Der neue Ausstellungssaal von Millesgården wurde am 4. Okto-ber 1999 eingeweiht. Der Saal wurde auf einem benachbarten Besitz, der Jahrzehnte zuvor von Carl Milles erworben worden war, errichtet.

NOUVELLE SALLE DES EXPOSITIONS *La nouvelle salle des expositions de Millesgården a été inaugurée le 4 octobre 1999. Elle est construite sur une pro-priété voisine rachetée il y a plusieurs dizaines d'années par Carl Milles.*

NUEVA SALA DE LAS EXPOSICIONES *La nueva sala de las exposiciones de Milles-gården se inauguró el 4 de* octubre de 1999. La sala ha sido construida en una propiedad cercana adquirida décadas antes por Carl Milles.

Новый выставочный зал в Миллесгордене был открыт 4 октября 1999 года. Зал был построен на соседнем участке, приобретенном Миллесом десятки лет тому назад.

◁
UTSTÄLLNINGSHALLEN *har åtta lanterniner som ger dagsljus.*

THE LARGE GALLERY *Above the roof eight round skylights cast daylight into the large gallery.*

DIE GROSSE GALERIE *Auf dem Dach geben acht runde Oberlich-ter der großen Galerie Tageshelle.*

LA GRANDE GALERIE *Sur le toit, huit lucarnes rondes éclairent la grande galerie.*

LA GRAN GALERÍA *En el techo, ocho claraboyas redondas iluminan con toda claridad la gran galería.*

Большая галерея *На ее крыше установлены восемь круглых световых фонарей.*

Biografi över Carl Milles

1875 Född den 23 juni på Örby Gård i Uppland. Föräldrar: Emil (»Mille«) Andersson, officer till yrket som under en vistelse i Rom ägnat sig åt konststudier, och Walborg Tisell. Två av Carl Milles syskon, kom att verka inom konsten: systern Ruth Milles (1873–1941), skulptör, samt halvbrodern Evert Milles (1885–1960), arkitekt.

1892 Sätts i snickarlära efter tidigt avslutad skolgång. På kvällarna deltar han i undervisningen i Tekniska skolan, där han även blir dagelev från 1895.

1897 Får ett stipendium på 200 kr av Slöjdföreningen. Reser till Paris där han stannar i flera år och försörjer sig bl.a. som ornamentsnidare. Utför skulpturer i litet format som han emellanåt lyckas sälja. Studier i anatomi på Ecole des Beaux-Arts. Tar starka intryck av Auguste Rodin.

1899 Gör sitt första framträdande på Paris-Salongen.

1900 Erhåller hedersomnämnande på Paris-Salongen och silvermedalj på världsutställningen.

1901 Första besöket i München.

1902 Vinner framgång med Sten Sture-monumentet i Uppsala.

1903 Resor i Holland och Belgien. Tar intryck av skulptören Constantin Meunier.

1904 Bosätter sig i München för studier.

1905 Gifter sig med den österrikiska porträttmålaren Olga Granner (1874–1967), konstnärskamrat sedan åren i Paris.

1906 Återvänder till Sverige, utför bl.a. första versionen av Gustav Vasa statyn, Nordiska Museet.

1907 Konvalescent i Österrike och Italien.

1908 Börjar bebygga sin tomt på Lidingö med bostad och atelje. Flera framgångar och nya beställningar. Arbetar mest med granit.

1914 Stora framgångar på Baltiska utställningen i Malmö.

1920–31 Professor i modellering på konsthögskolan i Stockholm. Under hela perioden stora beställningsarbeten för olika svenska städer.

1923 Hedersutställare på jubileumsutställningen i Göteborg.

1927 Ställer ut på Tate Gallery i London.

1928 Utställningar i Lübeck och Hamburg.

1929 Första besöket i USA.

1931–51 Bosatt i Cranbrook i Bloomfield Hills utanför Detroit (tillsammans med Olga) där han innehar en professur i skulptur vid konstakademin. Erhåller flera viktiga uppdrag att utföra fontäner och monument, även utställningar. Några av somrarna fr.o.m. 1945 tillbringas i Sverige på Millesgården.

1936 Gör Millesgården till en stiftelse som överlämnas som gåva till svenska folket.

1948 Milles antiksamling införlivas med Millesgården genom svenska statens tillmötesgaende.

1951 Återvänder till Europa. Vintrarna i Rom, där amerikanska akademin ställt bostad och atelje till Milles förfogande på livstid och kostnadsfritt. Somrarna tillbringas på Millesgården, där arbetet med anläggningen fortskrider. Den nedre stora terrassen byggs. Milles utför under sina sista levnadsår flera betydande verk, bl.a. Sankt Martin, Guds Hand, Människan och Pegasus och Aganippefontänen.

1953 Hedersdoktor vid Stockholms Universitet.

1955 Avlider i sitt hem på Millesgården den 19 september.

Biography of Carl Milles

1875 Carl Milles (Carl Emil Wilhelm Andersson) born June 23 at Orby in Lagga near Uppsala. Parents: Lieutenant Emil ("Mille") Andersson (1843–1910) and Walborg Tisell (1846–1879).

1885–1892 Attended Jacobsskolan in Stockholm.

1892–1897 Left school and was apprenticed to a cabinet-maker and carpenter. Attended evening classes at the Stockholm Technical School, studying wood work and later carving and modelling.

1897 Was awarded a prize of 200 kronor by the Swedish Society of Arts and Crafts. Accepted an invitation to go to Santiago, Chile, to help manage a school in Swedish gymnastics. En route to Santiago, broke his journey in Paris

1897–1904 Remained in Paris. Years of privation, supporting himself by working with cabinet-makers and ornament-moulders. Worked with Auguste Rodin. In his spare time, attended lectures at the Colarossi Academy.

1899 Work admitted to the Salon for the first time.

1902	Came fourth in a competition for the Sten Sture monument in Uppsala. Later awarded first prize on the insistence of a student body.
1903	Travelled in Holland and Belgium. Became acquainted with the sculptures of Charles Meunier.
1904	Settled in Munich.
1905	Married Olga Granner (1874–1967), portrait painter, from Austria.
1906	Returned to Sweden and big commissions, e.g.a. monumental statue of Gustav Vasa for the Nordic Museum in Stockholm (1904–1907). Became a member of the Royal Academy of Art.
1907	Severe physical distress and illness. First visit to Rome during convalescence.
1908	Began to erect the first building on Lidingö, Stockholm.
1914	Exhibition of Milles' recent works at the Baltic Exhibition in Malmö earned him widespread acclaim and recognition by continental critics.
1917	Dissatisfied with his work, Milles destroyed models in his Lidingo studio. Period of rapid stylistic development. Frequent use of granite for his sculptures.
1920	Elected Professor of Modelling at the Royal Academy of Art, Stockholm.
1923	New works given prominent place in Tercentenary exhibition at Gothenburg.
1925	Milles' fiftieth birthday marked by widespread acclaim in Swedish press in spite of increasing criticism of this later work. Awarded the Gold Medal at the Exposition Internationale des Arts Decoratifs et Industriels Modernes a Paris.
1927	Exhibition of Milles' work at the Tate Gallery, London.
1928	Exhibitions in Lubeck and Hamburg.
1929	First visit to the United States.
1931	Appointed resident sculptor and head of Department of Sculpture, Cranbrook Academy of Art, Bloomfield Hills, Michigan.
1931–1932	First comprehensive American exhibition of work in St. Louis, Cleveland, Detroit and New York.
1934	Acquisition of collection of Milles' work by Cranbrook Foundation.
1935	Honorary degree of Doctor of Humane Letters conferred by Yale University.
1936	Made Millesgården into a foundation and donated it to the Swedish people.
1938	Awarded gold medals of the American institute of Architecture and the Architectural League of New York.
1940	Elected honorary member of the Royal Academy, London.
1943	Award of merit of the American Academy of Arts and Letters.
1945	Carl and Olga Milles became American citizens.
1948	Milles' collection of antiquities acquired by the Swedish State.
1951	Left the United States and moved to Rome, where the American Academy offered him a studio. The summers were spent in his home at Millesgården.
1953	Honorary Doctor of Philosophy, Stockholm University.
1955	Founder's Medal, Cranbrook, awarded to Carl Milles on the occasion of his eightieth birthday. Died in his home at Millesgården, September 1955.

Biographie von Carl Milles

1875	Carl Milles (Carl Wilhelm Andersson) wird am 23. Juni in Orby, in der Nähe von Uppsala, als Sohn von Emil („Mille") Andersson (1843–1910) und von Walborg Tisell (1846–1879) geboren.
1885–1892	Er besucht die Jacobsskolan in Stockholm.
1892–1897	Er verläßt die Schule und besucht das Laboratorium eines Ebenisten und Tischlers. Er geht in die Abendkurse der technischen Schule in Stockholm, während er das Tischlereihandwerk, später auch Schnitzerei und Plastik erlernt.
1897	Er erhält den Preis von 200 Kronen der Schwedischen Gesellschaft für Handwerk und Kunst. Er nimmt die Einladung, nach Santiago in Chile zu gehen, um bei der Leitung einer schwedischen Gymnastikschule mitzuwirken, an. Auf der Reise nach Santiago, unterbricht er in Paris.
1897–1904	Er bleibt in Paris, wo er mit Ebenisten und Tischlern arbeitet und ein Leben voller Entbehrungen führt. Er arbeitet mit Auguste Rodin. In der Freizeit besucht er die Vorlesungen der Akademie Colarossi.
1899	Seine Werke werden zum ersten Mal im Salon angenommen.
1902	Er erzielt den vierten Platz in dem Wettbewerb um das Denkmal Sten Sture in Uppsala. Später erhält er auf Drängen der Studenten den ersten Preis.

1903	Er reist durch Holland und Belgien und sieht zum ersten Mal die Skulpturen von Charles Meunier.
1904	Er läßt sich in München nieder.
1905	Er heiratet die Österreicherin Olga Granner (1874–1967), Porträtmalerin von Beruf.
1906	Er kehrt nach Schweden zurück, wo ihm viele Werke in Auftrag gegeben werden, wie die monumentale Statue von Gustav Vasa für das Nordiska Museet von Stockholm (1904–1907). Er wird Mitglied der Königlichen Akademie für Schöne Künste.
1907	In dieser Zeit verschlechtert sich sein Gesundheitszustand. Er besucht während seiner Genesung zum ersten Mal Rom.
1908	Man beginnt mit den Arbeiten des Hauses in Lidingö, Stockholm.
1914	Dank der Ausstellung seiner neuesten Werke in der Baltic Exhibition in Malmö findet er großen Anklang und die Anerkennung der Kritiker.
1917	Mit seiner Arbeit unbefriedigt, zerstört Milles in seinem Studio von Lidingö mehrere Modelle. Es folgt eine Periode schneller stilistischer Entwicklung. Er verwendet bei seinen Skulpturen oft Granit.
1920	Er wird zum Professor für Plastik an die Königlichen Akademie für Schöne Künste in Stockholm berufen.
1923	Bei der Ausstellung in Gothenburg wird seinen jüngsten Werken große Bedeutung zugemessen.
1925	Der fünfzigste Geburtstag von Milles wird in der schwedischen Presse trotz zahlreicher Kritiken an seinem allerletzten Werk ausführlich gefeiert. Er bekommt die Goldmedaille bei der Internationalen Ausstellung für Dekorative und Industrielle Künste in Paris.
1927	Ausstellung der Werke Milles' in der Tate Gallery in London.
1928	Ausstellung in Lübeck und Hamburg.
1929	Erster Besuch in den Vereinigten Staaten.
1931	Er wird zum ortsansässigen Bildhauer und Verantwortlichen für die Fakultät der Bildhauerkunst der Cranbrook Academy of Art in Bloomfield Hills, Michigan, ernannt.
1931–1932	Erste Ausstellung seiner gesamten Werke in St. Louis, Cleveland, Detroit und New York.
1934	Die Stiftung Cranbrook erwirbt die Werke Milles'.
1935	Er erhält den Ehrendoktor für Literatur von der Universität Yales.
1936	Er wandelt Millesgården in eine Stiftung um und öffnet es für das Publikum.
1938	Das American Institute of Architecture und die Architectural League aus New York verleihen ihm die Goldmedaille.
1940	Er wird als Ehrenmitglied in die Royal Academy in London aufgenommen.
1943	Die American Academy of Arts and Letters verleiht ihm einen Ehrentitel für Verdienste.
1945	Carl und Olga Milles erwerben die amerikanische Staatsbürgerschaft.
1948	Milles' Antiquitätensammlung wird vom schwedischen Staat gekauft.
1951	Er verläßt die Vereinigten Staaten und übersiedelt nach Rom, wo ihm die American Academy ein Studio anbietet. Die Sommer verbringt er in Millesgården.
1953	Die Universität von Stockholm zeichnet ihn mit dem Ehrendoktor für Philosophie aus.
1955	Die Cranbrook Academy of Arts übergibt ihm anläßlich seines achtzigsten Geburtstags die Medaille als Mitbegründer. Er stirbt im September 1955 in Millesgården.

Biographie de Carl Milles

1875	Carl Milles (Carl Wilhelm Andersson), fils de Emil («Mille») Andersson (1843–1910) et de Walborg Tissel (1846–1879) naît le 23 juin à Orby, dans les environs de Uppsala.
1885–1892	Il fréquente la Jacobsskolan à Stockholm.
1892–1897	Il quitte l'école pour fréquenter le laboratoire d'un ébéniste et menuisier. Il participe aux cours du soir de l'école technique de Stockholm où il étudie la menuiserie, puis l'entaille et les arts plastiques.
1897	Il remporte le prix de 200 couronnes décerné par la Société Suédoise des Arts et Métiers. Il accepte l'invitation de se rendre à Santiago, au Chili, pour aider à diriger une école suédoise de gymnastique. En cours de route, à destination de Santiago, il s'arrête à Paris.
1897–1904	Il s'installe à Paris où il mène une vie de privations, travaillant avec des artisans ébénistes et mouluriers. Il travaille avec Auguste Rodin. Pendant ses moments de

loisirs, il fréquente les cours de
l'Académie Colarossi.

1899 Ses oeuvres sont acceptées pour la
première fois au Salon.

1902 Il remporte le quatrième prix à l'occa-
sion d'un concours pour le monument
Sten Sture à Uppsala. Plus tard, le pre-
mier prix lui sera enfin décerné grace aux
pressions exercées par les étudiants.

1903 Il voyage en Hollande et en Belgique.
Il voit pour la première fois les oeuvres
sculptées de Charles Meunier.

1904 Il s'établit à Monaco.

1905 Il épouse Olga Granner (1874–1967),
portraitiste professionnelle, de natio-
nalité autrichienne.

1906 Il retourne en Suède où on lui com-
mande plusieurs oeuvres, par exemple,
la statue monumentale de Gustave Vasa,
pour le Nordiska Museet de Stockholm
(1904–1907). Il devient membre de
l'Académie Royale des Beaux Arts.

1907 Ses conditions de santé s'aggravent.
Pendant sa convalescence, il se rend à
Rome pour la première fois de sa vie.

1908 Les travaux commencent dans la maison
de Lidingö, Stockholm.

1914 L'exposition de ses oeuvres récentes à la
Baltic Exhibition de Malmö rencontre un
grand succès et les faveurs de la critique.

1917 Insatisfait de son travail, il détruit
plusieurs modèles dans son atelier de
Lidingö. Il traversera ensuite une période
pendant laquelle son style se développera
très rapidement. Il utilise souvent le
granit pour réaliser ses sculptures.

1920 Il est nommé professeur d'arts plastiques
à l'Académie Royale des Beaux Arts de
Stockholm.

1923 Ses oeuvres les plus récentes sont
énormément appréciées à l'exposition
de Göteborg.

1925 Le cinquantième anniversaire de Milles
est amplement commémoré par la presse
suédoise, malgré les nombreuses
critiques attribuées à sa dernière oeuvre.
Il gagne la médaille d'or à l'Exposition
Internationale des Arts Décoratifs et
Industriels de Paris.

1927 Exposition personnelle des oeuvres
de Milles à la Tate Gallery de Londres.

1928 Expositions à Lübeck et à Hambourg.

1929 Il se rend pour la première fois aux
États-Unis.

1931 Il est nommé sculpteur résident et
responsable de la Faculté de Sculpture,
à la Cranbrook Academy of Art de
Bloomfield Hills, au Michigan.

1931–1932 Première exposition de toutes ses
oeuvres à Saint Louis, Cleveland,
Detroit et New York.

1934 La Fondation Cranbrook achète les
oeuvres de Milles.

1935 Il est nommé docteur honoris causa es
lettres à l'Université de Yale.

1936 Il transforme Millesgården en fondation
et en ouvre les portes au public.

1938 L'American Institute of Architecture et
l'Architectural League de
New York lui confèrent la médaille d'or.

1940 Il est élu membre honoraire de la Royal
Academy de Londres.

1943 L'American Academy of Arts and Letters
lui confère la médaille du mérite.

1945 Carl et Olga Milles deviennent citoyens
américains.

1948 La collection d'antiquités de Milles est
achetée par l'État suédois.

1951 Il quitte les États-Unis et s'établit à
Rome, où l'American Academy lui offre
un atelier. En été, il vit à Millesgården.

1953 L'Université de Stockholm lui attribue un
doctorat honoris causa en Philosophie.

1955 La Cranbrook Academy of Arts lui attri-
bue la médaille de membre fondateur à
l'occasion de son quatre-vingtième
anniversaire. Il s'éteint à Millesgården
au mois de septembre de 1955.

Biografía de Carl Milles

1875 Carl Milles (Carl Wilhelm Andersson)
nace el 23 de junio en Örby, Lagga, cerca
de Uppsala, hi jo del lugarteniente Emil
("Mille") Andersson(1843–1910) y de
Walborg Tisell (1846–1879).

1892–1897 Terminada la escuela, desarrolla un
periodo como aprencliz de carpintero.
Asiste a cursos vespertinos en el Poli-
técnico de Estocolmo, estudiando el
trabajo en madera y, enseguida, técnica
de la escultura.

1897 Se le otorga un premio de 200 coronas
por parte de la Academia Sueca de Artes
y Oficios; acepta la invitación para visitar
Santiago de Chile como ayudante en la
conducción de una escuela sueca de
gimnasia. Camino a Santiago, inter-
rumpe el viaje y permanece en París.

1897–1904 Son los años de su estancia en París, lapso
de privaciones durante el cual se man-

tiene trabajando con carpinteros y decoradores. En este periodo trabaja con Auguste Rodin y en su tiempo libre, toma algunas materias en la Academia Colarossi.

1899 Sus obras se exponen por vez primera en el Salón de artistas franceses.

1902 Califica en cuarto lugar en un concurso para la realización del monumento a Sten Sture en Uppsala. Enseguida es distinguido con el primer lugar, apoyado por la Asociación de los Estudiantes de la Universidad de Uppsala.

1903 Viaja a Holanda y Bélgica. Conoce las esculturas de Charles Meunier.

1904 Se establece en Münich, Alemania. El año siguiente se casa con Olga Granner (1874-1967), retratista austriaca.

1906 Regresa a Suecia donde recibe importantes encargos. Por ejemplo, una estatua monumental de Gustavo Vasa para el Museo Nórdico de Estocolmo (primera versión 1904-1907). Entra a formar parte de la Real Academia Sueca de Bellas Artes.

1907 En este periodo, Milles sufre numerosos problemas físicos y enfermedades; lleva a cabo su primera visita a Roma durante su convalecencia.

1908 Inician los trabajos de construcción de su casa-taller en Lidingö, Estocolmo.

1914 La exhibición de sus últimas obras, con ocasión de la Exposición del Báltico en Malmö, gana para Milles un vasto consenso y reconocimientos por parte de los críticos europeos.

1917 Insatisfecho con su trabajo, Milles destruye algunos modelos en su taller de Lidingö. Se trata de un periodo de rápido desarrollo durante el cual utiliza con frecuencia el granito para sus esculturas.

1920 Es nombrado profesor de escultura en la Real Academia Sueca de Bellas Artes de Estocolmo.

1923 A sus nuevas obras les es designado un lugar importante en la Exposición del Tricentenario de la ciudad de Gotemburgo.

1925 El quincuagésimo cumpleaños de Milles es celebrado con el consenso general de la prensa sueca, no obstante las crecientes críticas sobre sus últimos trabajos. Se le distingue con la medalla de oro en la Exposición Internacional de las Artes Decorativas e Industriales Modernas en París.

1927 Exposición de Carl Millcs en la Tate Gallery en Londres.

1928 Exposiciones en Lubeck y Hamburgo, Alemania.

1929 Primer viaje a Estados Unidos.

1931 Se le otorga el cargo de escultor oficial y jefe del Departamento de Escultura en la Academia de la Cranbrook Academy of Art, Bloomfield Hills, Michigan.

1931–1932 Primera exposición con gran número de obras de Milles en Estados Unidos, en San Luis, Cleveland, Detroit y Nueva York.

1934 La Cranbrook Foundation adquiere varias obras de Milles.

1935 La Universidad de Yale confiere a Carl Milles la licenciatura en Letras ad honorem.

1936 Remodelación del Millesgården. Lo dona al pueblo sueco.

1938 Se le otorgan dos medallas de oro: del Instituto Amcricano de Arquitec tura y de la Liga Arquitectónica de Nueva York.

1940 Entra a formar parte de la Real Academia de Londres como miembro honorario.

1943 Recibe un reconocimiento al mérito por parte de la Academia Americana de Artes y Letras.

1945 Carl y Olga adoptan la ciudadanía estadounidense.

1948 El Estado sueco adquiere la colección de antigüedades de Milles.

1951 Milles abandorla Estados Unidos y se traslada a Roma, donde la Ameri can Academy pone a su disposición un taller. Transcurre los veranos en Millesgården.

1953 La Universidad de Estocolmo le confiere el doctorado honoris causa en filosofía.

1955 La Cranbrook Academy otorga a Milles la Founder's Medal con ocasión de su octagésimo cumplcaños. En septiembre del mismo año, Carl Milles muere en su casa de Millesgården.

Биография Карла Миллеса

1875 23 июня в семье Эмиля (»Милле«) Андерссона (1843-1910) и Вальборг Тисель (1843-1879) рождается Карл Миллес (Карл Вильгельм Андерссон).

1885–1892 учится в стокгольмской школе Св. Якоба.

1892–1897 оставляет школу и занимается в мастерской краснодеревщика и плотника; посещает вечерние курсы стокгольмского техникума, изучая плотничество, а затем резьбу и ваяние.

1897 получает премию Шведского общества ремесел в 200 крон; принимает предложение возглавить шведскую школу гимнастики в Сантьяго; по пути в Чили посещает Париж.

1897–1904 остается в Париже, ведя полную лишений жизнь; работает с краснодеревщиками и декораторами мебели, со скульптором Огюстом Роденом; в свободное время слушает лекции в Академии Коларосси.

1899 впервые выставляется в Салоне.

1902 занимает четвертое место в конкурсе на памятник Стен Стуре в Упсале, но позднее по настоянию студентов получает первую премию.

1903 путешествие в Голландию и Бельгию; знакомство с творчеством скульптора Шарля Менье.

1904 поселяется в Мюнхене.

1905 женится на Ольге Граннер, австрийской художнице-портретистке.

1906 возвращается в Швецию, выполняя там множество заказов, в том числе – монументальную статую Густав Ваза для стокгольмского Музея Севера.

1906–1908 становится членом Королевской Академии изящных искусств; начинает работы в доме на острове Лидингё, на окраине Стокгольма; часто чувствует недомогания, а в период улучшения здоровья впервые едет в Рим.

1914 благодаря экспозиции скульптур на Балтийской выставке в Малмё получает широкое признание, в том числе и у критиков.

1917 неудотворенный своей работой, разрушает в мастерской на Лидингё некоторые модели; наступает период быстрого стилистического развития; в качестве материала часто используется гранит.

1920 избран профессором ваяния Королевской Академии изящных искусств в Стокгольме.

1923 новые произведения на выставке в Гётеборге привлекают огромное внимание.

1925 50-летие скульптора широко отмечается шведской печатью, несмотря на некоторую критику его

последних работ; получает золотую медаль на парижской Выставке прикладного искусства и промышленности.

1927 выставка в лондонской Галерее Тейт.

1928 выставки в Любеке и Гамбурге.

1929 первая поездка в США.

1931 получает кафедру на факультете скульптуры в Кренбрукской Академии искусств в Блумфилд-Хиллс, штат Мичиган.

1931–1932 первые персональные выставки в Сент-Луисе, Кливленде, Детройте и Нью-Йорке.

1934 работы Миллеса покупает Кренбрукский Фонд.

1935 Йельский университет присуждает скульптору докторскую степень honoris causa в области филологии.

1936 преобразует Миллесгорден в Фонд и открывает его для публики.

1938 Американский институт архитектуры и Архитектурный союз Нью-Йорка присуждают Миллесу золотую медаль.

1940 избран почетным членом лондонской Королевской Академии.

1943 награжден Американской Академией искусств и литературы.

1945 супруги Миллес принимают американское гражданство.

1948 античное собрание Миллеса приобретает шведское государство.

1951 переселяется из США в Рим, где Американская Академия предоставляет скульптору мастерскую; летнее время проводит в Миллесгордене.

1953 Стокгольмский университет присуждает докторскую степень honoris causa в области философии.

1955 Кренбрукская Академия искусств к 80-летию Миллеса вручает ему медаль члена-учредителя; 19 сентября 1955 г. маэстро умирает в Миллесгордене.